这本有趣的

芭比公主故事

属于＿＿＿＿＿

图书在版编目（CIP）数据

梦幻草原仙子/英国艾格萌有限公司编绘；高静云,潘娜译.—湖北少年儿童出版社,2012.10
（芭比公主故事）
ISBN 978-7-5353-7737-1

Ⅰ.①梦… Ⅱ.①英… ②高… ②潘… Ⅲ.①汉语拼音—儿童读物 Ⅳ.① H125.4

中国版本图书馆 CIP 数据核字（2012）第 242045 号
著作权合同登记号：图字 17-2011-060

梦幻草原仙子

[英]艾格萌／著·绘　　高静云 潘娜／译
策划编辑／朱 霞　责任编辑／王桢磊　黄 穗
美术编辑／魏孜子　装帧设计／黄 珂
出版发行／湖北少年儿童出版社　经销／全国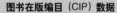
印刷／广东广州日报传媒股份有限公司印务分公司
开本／889×1194　1/24　4.5 印张
版次／2013 年 11 月第 1 版第 2 次印刷
书号／ISBN 978-7-5353-7737-1
定价／13.80 元

策　划／海豚传媒股份有限公司 (13111304)
网　址／www.dolphinmedia.cn　邮　箱／dolphinmedia@vip.163.com
咨询热线／027-87398305　销售热线／027-87396822
海豚传媒常年法律顾问／湖北今天律师事务所　王蕾　张帆　027-87896528

芭比公主故事
之 梦幻草原仙子

Barbie™

绿手指的花园

【英】艾格萌/著·绘　高静云/译

嗨！大家好！我叫莉亚，是梦幻草原的仙子。

在我们梦幻草原，有一个叫绿手指的坏脾气的小矮人，他的梦想是拥有一座属于他自己的色彩斑斓的大花园……

梦幻草原沉浸在节日前的忙碌与欢乐中。马上就是五月节了！莉亚和其他的仙子们都在忙着做五月花柱的花冠花环。巴布——莉亚的好朋友小蜜蜂，也忙着在她身边一圈一圈嗡嗡地飞着，不但没帮上忙，倒添了不少乱。

"噢，巴布，"莉亚咯咯地笑着对巴布说，"你真的想帮忙，是吗？这样吧，你飞到草原上去，帮我看看有多少金盏花可以用了，好不好？"

"但是，记着别靠近苔藓山哦，"莉亚又警告说，"你知道绿手指不欢迎别人到他的属地去！"

6

苔藓山是脾气古怪的小矮人绿手指的领地。为什么叫他绿手指呢？因为他的手指不管碰到什么，那东西都会变成绿色的！绿手指一直希望他的花园里能盛开五颜六色的鲜花，可惜那里只有绿葱葱的苔藓。

莉亚和朋友们正在筹备五月节。他们不知道，绿手指一直暗中监视着他们。他看着草原上绚丽的鲜花，嫉妒得几乎要发狂了！

每天，绿手指都会为他的花圃浇水松土，可是那片土地上从来没有盛开过鲜花。因为他的脾气太暴躁了，总是不停地埋怨："为什么我的花园里不开花？"

那天下午，巴布飞到苔藓山下去数金盏花的数量。忽然，他听到了山上绿手指的怒吼。巴布按捺不住好奇心，决定悄悄飞上山去看一看。

呵，那个小矮人正挥动着他的绿手指，对几个躲在花盆后的地精灵大吼大叫。

"为什么我的花园里没有花？为什么我看到的只是苔藓、荆棘和杂草？"绿手指怒吼着，"我要鲜花，而且现在——就要！"他的怒吼声简直就像天上的惊雷："你们最好明天早晨就种出花来，否则我就把你们都变成石头！"

绿手指转身离开了。吓得瑟瑟发抖的地精灵们从花盆中爬出来，召开了一次小型会议。巴布躲在旁边偷听了他们的谈话。

"如果不是当初他吓走了花精灵，他的花园里早该百花盛开了！"地精灵们唉声叹气地说，"是啊，花精灵会柔声细语地对花儿讲话，让花儿生长，可是绿手指只会对着花儿大喊大叫！"

谈到花精灵，地精灵们倒有了个主意……

地精灵们知道该到哪儿去找鲜花，来填满绿手指只长苔藓的绿色花园。

那天晚上，地精灵们提着苔藓灯笼，拿着柳条篮子溜下了山。他们把莉亚和花仙子们为仙宫种植的鲜花和花苞都采走了。

等把所有的篮子都装满了美丽的鲜花后，他们又爬回了苔藓山。他们用采来的鲜花装饰好了绿手指的花园。

第二天一早，在温暖阳光的照耀下，绿手指睡醒了。

啊，他几乎不敢相信自己的眼睛！在他的苔藓花园里，终于开满了五颜六色的鲜花！绿手指太开心了，他的脸上也绽开了难得一见的笑容。

可是等太阳升高了以后，花儿们却枯萎了，凋谢了，死掉了。因为这些花儿是没有根的啊！

绿手指又对着地精灵们大发雷霆了。地精灵缩到一边，羞愧地低下了头。

"我不要枯萎的花，也不要死掉的花！我要美丽的、鲜活的花！我现——在——就要！"他跳着脚大叫着，把地精灵们都变成了石头。

与此同时，莉亚和花精灵们醒来后看到的却是一片空荡荡的草原。

"花儿们到哪里去了？"花精灵们哭泣着，"我们用什么来装饰五月花柱呢？没有了鲜花，蝴蝶怎么采花粉，蜜蜂又怎么酿花蜜呢？没有鲜花，我们怎么庆祝五月节呢？怎么办啊？"

莉亚尽力安慰着她们，但无济于事。

"我知道这是谁干的，"巴布对莉亚说，"跟我来。"

在苔藓山顶上，莉亚和巴布看到了一群变成了石像的地精灵。

莉亚挥了挥魔棒，一阵仙雾飘过，地精灵们复活了！他们围拢过来，站在莉亚的身边。

"请告诉我，我们的鲜花在哪里，好吗？"莉亚询问着，"你们知道的，对吗？告诉我，我不会生气的。"

地精灵们不好意思地告诉了莉亚整个事情的经过。他们羞红了脸，不安地补充道，"我们只是想给绿手指一个惊喜，真没想到会把事情搞得一团糟。"

在花园的一个小角落里，莉亚找到了绿手指。小矮人落寞地坐在一个花盆上，把头深深地埋在手里。这时，莉亚突然觉得绿手指很可怜。

"我只是想要一座美丽的花园，"他喃喃自语着，"难道我要的太多了吗？"

"不，"莉亚摇摇头，"不多，但是你必须要有耐心。心急是办不成事的啊。"

莉亚向绿手指保证会派花精灵来帮他唤醒花种，但前提是他必须精心呵护每一株幼苗，每一颗花苞。"很快，你就会有一座属于你自己的美丽花园啦！"莉亚说。

绿手指低下头想了一会，同意了。"当然，"他说，"不管对花儿，还是对来帮忙的地精灵和花精灵，我都不会再乱发脾气啦，我会耐心等待的。"

莉亚召来了几个花精灵，请他们在这座荒芜的花园上空洒下仙雾。花精灵们飞到花圃上，对着每一株花枝轻声细语。"好了，让我们耐心等待吧！"莉亚微笑着对绿手指说。

几天后，小草冒出了嫩芽。然后，在绿手指的脚下，幼小的花儿绽开了星星点点的花朵。接着，树枝上开满一簇簇红色的、白色的鲜花。再接着，沉甸甸的金苹果压弯了枝条。

现在在绿手指的花园里，百花盛开了，鸟儿也在树上筑起了巢，蜜蜂嗡嗡地在花丛中采蜜，蝴蝶跳起了欢快的舞蹈。绿手指开心地笑了起来：他终于有了属于自己的花园了！

"等等，我有个主意，"绿手指说，"我们何不就在这里建五月花柱，就在我美丽的花园里举办五月盛典呢？"

大家都赞同这个主意，于是五月盛典派对就在苔藓山的山顶花园里举办了。莉亚戴上了五月仙后的王冠，绿手指扮成了骄傲的五月仙翁。大家尽情地跳舞，一直跳到黎明。

当然了，后来在莉亚和花精灵们的精心照料下，梦幻草原又恢复了生机盎然、鸟语花香的美丽景象。

现在绿手指也有了自己的花园，他再也没有乱发脾气了。他和地精灵们温柔耐心地照看着花园里的每一株花儿。花精灵们时不时地去拜访他们，带去新的花种，呵护新的花苞。

每天早晨，绿手指都会给莉亚送来一束鲜花，对她表达真挚的谢意，也祝福她一整天都开心快乐。

Barbie™

珠宝仙子

【英】艾格萌/著·绘　高静云/译

嗨！大家好！我是梦幻草原仙子莉亚。

我们梦幻草原仙后的加冕庆典就要到了。

可是，一位坏脾气的仙子却没有收到仙后的邀请函，她决定报复……

一个阳光和煦的上午，梦幻草原仙宫最年轻的仙女莉亚欢快地忙碌着。因为仙后的加冕庆典就要到了，她正忙着把送给各位特邀来宾的邀请函装进一个大大的袋子里。

"好了，巴布，记住了，"莉亚扎好袋子，对小蜜蜂巴布说，"你必须保证把每一封邀请函送到梦幻草原的每一位仙子的手里，不要有任何遗漏，知道吗？仙后希望每个人都能来的哦。"

"当然，遵命！"巴布嗡嗡地叫着，"我保证会亲手把邀请函送给每一位仙子，放心吧！"

巴布开始了他在梦幻草原的漫长飞行之旅。可是,当飞近一片长满野蔷薇的荆棘丛时,他却有些迟疑了。荆棘丛后,住着凶悍的蓟草花仙子——贝朗妮。一想到贝朗妮尖酸刻薄的样子,巴布吓得不敢去按响门铃了。

"怎么办呢?"巴布自言自语道,"我还是把邀请函放在贝朗妮家的门口,然后快点飞走好了。"

巴布是这样想的,也是这么做的。可是就在他飞走后,一阵轻风吹过野蔷薇丛,贝朗妮的邀请函也被吹走了。

邀请函发出后的几天里，梦幻草原的每个人都在说着，

谈着，准备着仙后加冕庆典的事情。很快，贝朗妮就知道

了——每个人都收到了邀请函，每个人——但是没有她！

她失望愤怒得快要发狂了！

"他们怎么敢单单不邀请我，"她愤愤地叫着，"哼，我

要让他们知道我的厉害！"

她怒气冲冲地飞到红顶小精灵居住的毒菌池。

"听着，去草原上找最大的一颗蓟草，"她对小精灵们

发号施令，"我们虽然没有收到邀请函，但我们照样要去参

加仙后的加冕礼！"

36

万众期待的日子终于到了！在举办庆典的仙子山谷里，莉亚和巴布笑逐颜开地迎接着参加庆典的客人们。每位客人都带来了自己精心准备的贺礼。

珠宝仙子带来的礼物最特别——那是由三块魔法石串成的宝石项链。蓝色的是许愿宝石，红色的是护身宝石，黄色的是解除咒语的宝石。

仙后光彩照人，欣然收下各色贺礼。仙后开心极了，因为梦幻草原每个人都来参加了她的庆典——当然了，几乎是每个人……

突然，山谷里传来一阵骚动的声音。巴布警觉地飞到半空察看。啊，原来是贝朗妮！她满面怒色，分开人群走了过来。

"我也有一份特别的礼物要献上，陛下，"她说着，走上前来，"哪怕没人邀请我！"

她拍拍手，红顶小精灵们抬上了一枝巨大的蓟草花，摆到仙后的面前。贝朗妮对着蓟草花毛绒绒的花冠吹了一口气。

"当蓟草花所有的花瓣都落下时，"她对着仙后许下毒咒，"你就会刺破手指，然后一直沉睡下去，永远，永远都不会醒来！"

贝朗妮转身离去了，留下了震惊的众人。莉亚面带愧色地对仙后说："对不起，都是我的错。我们本来是邀请了贝朗妮的，但是，也许是她的邀请函被弄丢了。对不起，我们不想让你永远沉睡下去啊！"

仙后笑了，柔声说："别担心，莉亚，贝朗妮只是一时气恼，没事的，什么事也不会发生的。"

可是，莉亚做不到像仙后那么镇定自若。

第二天，为了让仙后不会触碰到任何尖锐的东西，莉亚藏起了仙后的针线盒，巴布把仙后的发饰放到了高高的树枝上。

但是贝朗妮很狡猾，她在仙后的王冠上留下了一朵带刺的玫瑰花。当仙后取下那朵美丽的玫瑰花时，不小心被扎破了手指。正像贝朗妮诅咒的那样，仙后马上就倒下了，沉入了梦乡。

莉亚和巴布立刻飞奔到仙后的身边。

"不！"巴布惊慌失措地叫道，"我们该怎么办呢？"

莉亚想起了加冕庆典上珠宝仙子送来的魔法项链，"那条项链应该有用。"她说。可是，仙后把项链收藏起来了，应该到哪儿去找呢？

"那些宝石中肯定有一颗能唤醒仙后！"莉亚叫道，"快来，巴布，我们要马上找到魔法项链。"

在山谷的另一边，贝朗妮密切关注着这里的动静。她看到莉亚和巴布慌乱地跑来跑去。

"我得确保你们永远都唤不醒仙后。"她自言自语道。

然后，她派了一队蜘蛛跟踪莉亚和巴布。

蜘蛛紧紧地跟在莉亚和巴布身后。好在莉亚及时找到了魔法项链，把项链戴在了脖子上。红色的护身宝石立刻开始发挥作用，保护着佩戴者。红宝石发出夺目的光芒，蜘蛛骤然间消失了，像雨滴一样融入了大地。

贝朗妮没有善罢甘休。她念起咒语，用蓟草在莉亚面前竖起了一道蓟草墙。

幸好，莉亚及时想起来，蓝色的宝石能实现佩戴者的一个愿望。

"我希望有一条通过蓟草墙的路。"她大声地说道。蓝色的宝石开始闪闪发光，瞬间，在密集的蓟草丛中出现了一条路。

莉亚赶紧跑到仙后面前，取下项链，戴在她的脖子上，希望很快就能永远解除贝朗妮的咒语。

紧接着，黄色的除咒宝石开始发出柔和的光芒，光芒越来越强烈，一下子击碎了贝朗妮的魔咒。仙后马上苏醒了过来。

"不公平！"贝朗妮哭着叫了起来，"你为什么不邀请我参加你的加冕典礼？因为你们都不喜欢我，所以我才下了魔咒！"

莉亚听到贝朗妮的哭泣，劝说她从藏身的地方走了出来。"你想错了，我们都喜欢你。"莉亚对贝朗妮说。

"真抱歉，是我弄丢了你的邀请函。"巴布羞愧地对贝朗妮解释道。

"你们喜欢我？真的吗？"贝朗妮急切地问。

"当然啦，"莉亚笑着回答，"今晚请来参加加冕舞会吧！我们诚挚地邀请你！"

"对啊，你一定要来啊！"仙后也微笑着说。

到了晚上，梦幻草原上一片灯火辉煌。所有人都在舞会上开心地歌唱，尽情地舞蹈。贝朗妮许诺以后再也不乱施魔咒了，每个人都愿意与她交朋友。贝朗妮开心极了，她和她的新朋友们度过了一个愉快的夜晚。

水晶鞋

【英】艾格萌/著·绘　高静云/译

hēi dà jiā hǎo wǒ shì mèng huàn
嗨！大家好！我是梦幻

cǎo yuán xiān zǐ lì yà
草原仙子莉亚。

jīn tiān wǒ gěi dà jiā jiǎngjiang wǒ qù
今天，我给大家讲讲我去

yáng chǐ cǎo shān qiū cān jiā wǔ dǎo bǐ sài de
羊齿草山丘参加舞蹈比赛的

gù shi ba wǒ zài nà li yù dào le yí
故事吧。我在那里遇到了一

wèi bái mǎ wáng zǐ
位白马王子……

一天，小蜜蜂巴布气喘吁吁地飞到梦幻草原，一副兴高采烈的样子。

"今天晚上，精灵们要在羊齿草山丘举办大型舞蹈比赛，"他郑重其事地宣布道，"所有人都可以参加，优胜者将成为精灵王子埃文的舞伴，和他一起参加盛装舞会。"

得到消息后，花仙子们都在花丛中穿梭忙碌着，为大赛做准备。莉亚穿上她心爱的金凤花蓬蓬裙，换上风铃草鞋，戴上了可爱的雏菊小花环。巴布还在她的翅膀上撒上了亮闪闪的金粉。"谢谢你，巴布。"莉亚说着，踮起脚尖，在草地上转了一个圈。呵，精致的衣裙闪闪发亮。

可是贝朗妮和她的野蔷薇姐妹们——刺儿仙女和针儿仙女就没这么开心了：她们找不到什么好衣裳。"别担心，我们会帮忙准备的，对吧，巴布？"善良的莉亚来帮忙了。

她采集了很多蓟草花花冠，准备为她们缝制舞裙。

"我想要饰扣和蝴蝶结。"刺儿仙女尖声说。

"我要挂珠和蕾丝花边。"针儿仙女命令道。

贝朗妮本想对莉亚表示感谢，可是，她却一直不耐烦地催促着："快点！快点！"

最后，这些带针带刺的舞裙终于做好了。野蔷薇姐妹们连句道谢也没说，就急匆匆地赶往羊齿草山丘了。

野蔷薇姐妹们走后，只剩下莉亚孤零零的一个人在那里。"啊，天哪！"巴布不知从哪儿钻了出来，惊呼道："亲爱的，看看你的衣服，简直就像块被扎得稀烂的破垫子，这样你怎么去参加舞会呀！"

莉亚走到镜湖边，低头看着自己在镜湖里的倒影。真的，她美丽的金凤花蓬蓬裙上扎满了荆棘和芒刺，裙子被划成一条条的破布了。

"没事，我再缝上几针就好了。"莉亚装作若无其事地说。但她知道，要等金凤花再次绽放，还得要好几个月呢。

这时，镜湖里漂来了一个水泡。啪的一声，水泡裂开了，一个小小的水精灵走了出来。

"莉亚仙子，是贝朗妮派我来帮助你的。"水精灵浑身亮晶晶的，它用银铃般悦耳的声音说，"你的漂亮舞裙被弄成这样，贝朗妮觉得很抱歉。"

说完，水精灵挥了挥手中的银色芦苇棒，莉亚眼前银光一闪，发现自己已穿上了一件漂亮的百合礼服，长发上戴上了珍珠头饰，脚上则是一双亮闪闪的水晶鞋！

接着，水精灵再次挥动魔棒。只见阵阵仙雾腾起，湖面上出现了一条百合花做成的小船，两只闪闪发光的大蜻蜓伫立在船头，随时准备开船。

"现在你可以去参加舞会了，"水精灵说，"但是请记住，一定要在蒲公英大钟敲响午夜十二点之前回来，否则魔法失效，小船会还原成花朵，你的漂亮舞裙也会变成以前的破衣服的！"

莉亚乘坐小船划出镜湖，沿着银溪漂流而下。

此时，在羊齿草山丘上，成百上千只萤火虫灯笼把茂盛的林中草地照得亮如白昼。精灵、仙子和绿妖们在空中飞来飞去，呼朋唤友。突然，鼓乐齐奏，万众瞩目的埃文王子驾到！

王子走到草坪正中，挥动着他的金色羊齿草王冠，热情地宣布道："舞会正式开始，让我们尽情地跳舞吧！"

就在那时，羊齿草帘左右分开，一位白衣仙女姗姗来迟。她的百合舞裙珠光闪动，她的身姿苗条动人，立刻吸引了众人的目光。

"她是谁？"野蔷薇仙女们尖声问道。

每个人都想知道这位神秘丽人是谁。舞池里到处是聚集在一起的仙子，她们扇动着翅膀，躲在香扇后窃窃私语。

这时，精灵族的乐队吹响了号角，奏起了舞曲。喧哗声静寂了下去，大家迫不及待地准备起身舞蹈，展现自己的舞姿。

仙子们在花丛中穿梭，宛如美丽的蝴蝶。绿妖们围着毒菌伞跳圈圈舞，精灵们仿照羊齿草的形状，踩着复杂的舞步。

贝朗妮、刺儿仙女和针儿仙女也使尽了全力跳舞，可没人敢靠近她们，和她们共舞，因为她们浑身是刺！

当然，最娇俏可人的舞者就是莉亚了。她迈着轻盈的舞步在人群中穿梭，旋转自如。当她踮起足尖在空中转圈时，脚上的水晶鞋闪闪发光，像月光一样明亮，像露珠一样俏皮。

埃文王子被莉亚的美丽和优雅迷住了。他伸出手，邀请莉亚与他共舞。两人在优美的华尔兹舞曲中，旋转着舞过草坪，几乎忘记了时间的流逝。

舞曲结束后，莉亚又累又饿又渴。王子为她拿来了自己的金杯，请莉亚享用美味的浆果汁和新鲜的仙果。然后，他拉着她坐到羊齿草宝座上，正式邀请莉亚做他的舞伴，参加第二天晚上的盛装舞会。

突然，一阵清风吹过，蒲公英大钟开始往空中投放绒毛降落伞了。啊，已经快到午夜时分了！

蒲公英小伞落地了：一、二、三……

"快点，午夜到了！"巴布在莉亚的耳边嗡嗡叫着。

四、五、六……莉亚必须要走了。她不能让王子看见自己破衣烂衫的模样，大家都会嘲笑她的！

七、八、九……莉亚向王子屈膝行礼，然后飞快地跑出草坪。

"等等！"王子在她身后大叫。

但是，不能等了。十、十一、十二……慌乱中，莉亚跑丢了一只水晶鞋，可是她来不及回头去捡。跑到河边后，莉亚一脚跳上百合船，匆匆离去。

小船刚刚抵达对岸，魔法就失效了。百合花船变成了一朵百合花儿，莉亚的一身华服也成了破衣服，但是，莉亚脚上的那只水晶鞋，还是那么晶莹剔透。莉亚把水晶鞋脱下来，放进口袋，飞快地跑回家。

等埃文王子追到河岸边，莉亚早已无影无踪。王子感到很沮丧，这时，小水精灵又出现了，她告诉了王子整个事情的经过。"我才不在乎衣服呢！"王子大声叫道，"我在乎的是莉亚！"

第二天一早，王子的侍从来到了梦幻草原。他双手捧着一张绿色的羊齿草垫，草垫上是那只小巧的水晶鞋。

"我奉命前来归还您的水晶鞋,并邀请您进宫,尊敬的女士。"侍从毕恭毕敬地对莉亚说。

可是,莉亚还穿着她的破衣裙,这怎么行呢?

"我不能这样进宫,"她羞愧地自语道,"王子是不想认识一个灰姑娘的。"

"带我去!带我去!"刺儿和针儿大叫着。她们把花蜜抹在脚跟上,想让脚变得柔滑些,尽管这样,两人使出了浑身解数,还是没能把脚塞进水晶鞋。

这时,王子从他藏身的灌木丛中走了出来。他风度翩翩地伸出手,对莉亚说:"莉亚,请跟我来吧。"

第二天，王子的皇室裁缝们帮莉亚把她的破裙子缝制成了一条漂亮的拼布舞裙。

到了晚上，盛装舞会开始了。王子彬彬有礼地向莉亚伸出手，带着她走到舞池中央，两人翩翩起舞。

在魔笛的吹奏声中，他们尽情地旋转着。在场的每个人都沉浸在他们美妙的舞姿中，觉得他们是最般配最默契的舞伴。

舞会结束时，莉亚和王子成了最好的朋友。他们相约：从今以后，梦幻草原举办的每场舞会，他们都要一起跳舞。

Barbie

绿妖国王

【英】艾格萌/著·绘 高静云/译

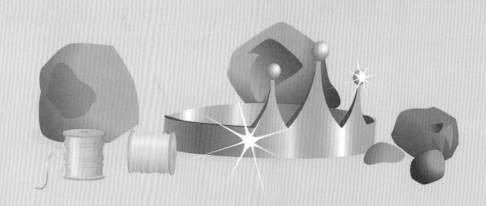

嗨！大家好！我是梦幻草原的仙子莉亚。

今天的故事发生在我被邪恶的绿妖国王囚禁之后……

梦幻草原四季鲜花盛开，喧闹而又繁忙。仙后的生日快到了，花仙子们要为她缝制一条花朵披肩作为礼物。一些仙子采摘了美丽的鲜花，压放到绿叶间；还有一些仙子织好了蛛网状的布片。

然后，莉亚和她的朋友们拿出针线盒，坐在草地上，准备把所有的花朵、树叶和蛛网布片拼到一起。

"你也来帮帮忙吧，"莉亚对她的小蜜蜂巴布说，"我们就快缝好了！"

"嘿,遵命!"巴布嗡嗡地飞来飞去,用蜂蜡把花瓣固定到披肩上。

花仙子们欢笑着,忙碌着。但她们不知道,有人在监视着她们。在高高的草丛后面,一双双绿莹莹的眼睛盯着她们的一举一动。

看到仙子们把碎花片缝成了一条漂亮的披肩,绿妖们的小眼睛好奇地眨动着,他们实在捉摸不透这是怎么回事。

那天晚上,当莉亚和巴布带着针线篮子飞回家的时候,意外地看到一个小绿妖等在门口。小绿妖穿着一身破衣服,愁眉苦脸地坐在一株毒菌伞上。阵阵晚风吹过,他冻得瑟瑟发抖。

"嗨，你好！你叫什么名字？"莉亚友好地笑着问，"你看起来好像很冷啊，是吗？"

"我叫吉布，"小绿妖喃喃地说，"我总是很冷。"

"你需要穿些暖和的衣服，"莉亚说。可是，吉布说他一件暖和的衣服也没有，而且他也不知道该怎样修补他的破衣裳。于是，好心的莉亚和巴布给吉布的破衣服补上了花朵补丁。

"啊，太感谢了！"吉布开心地道谢。他邀请莉亚和巴布第二天下午去绿妖山洞喝茶。临走之前，吉布叮嘱道："明天来的时候，别忘了带上你的针线篮子哦，明天见！"

第二天，当莉亚和巴布来到绿妖山洞的时候，吉布已经等在洞口了。然后，小绿妖带着客人们走进洞内一条幽暗的通道。

通道的尽头，是一间黑漆漆的洞室。绿妖国王端坐在石头王座上，周围坐着他的子民们。他们全都穿着破旧的衣服，冻得缩成一团，脚趾头都冻得发紫了。

"噢，天哪，"莉亚满怀同情地说，"你们冻成这样了，不过我会帮助你们！""莉亚，你真是太好了，谢谢！"吉布感激地说。

但是，绿妖国王却邪恶地冷笑起来："嘿嘿，你中了我的圈套！"他贪婪地宣布道："你得一直留在这里为我们工作，永远永远！"

凶恶的卫兵们一拥而上，架着莉亚和巴布来到一间堆满荨麻的房间。他们下达命令："明天早晨之前，你们要为我们每个人做一套新衣服！"

莉亚努力地工作着，可是荨麻不停地刺破她的手指，使得工作进展缓慢。"怎么办啊，巴布？"莉亚焦急地说。

这时，一只穿着破衣服的小老鼠从一个小洞里钻出来。

他蹑手蹑脚地爬到莉亚身边，看起来有点羞涩。

"嗨，你好！"莉亚说，"我叫莉亚。噢，你的外套破了，请允许我把它缝好吧。"

"谢谢你，美丽的仙子，"小老鼠鼓起勇气回答道，"我叫皮普金。"然后他对莉亚讲述了他的故事。原来，皮普金也是个裁缝，但是绿妖国王在他身上施了个魔咒，让他永远不能为自己做衣服。

"嘿，有了，我们可以互相帮助！"莉亚叫起来。皮普金戴上他的魔法顶针，把蛛丝穿过针眼，然后一针一线地开始干活，不一会功夫，他就缝好了十件绿制服！与此同时，莉亚也用她篮子里的碎布为小老鼠缝好了一条长裤。

"谢谢！"皮普金向莉亚致谢，然后收拾好他的针线包离开了。

第二天，绿妖们又要求莉亚把荆棘缝制成地毯。

皮普金戴上魔法手套，在荆棘丛上来回走动，摘掉了荆棘上的针刺。然后，莉亚和他一起缝好了地毯。

多亏了皮普金，这项工作完成得很快。莉亚利用剩余的时间为小老鼠缝了一件暖和的刺蓟花外套。

"谢谢！"皮普金向莉亚致谢，又收拾好他的针线包离开了。

第三天，莉亚的任务是把稻草纺成金线，然后再织成布匹。

"这怎么能做到呢？"莉亚犯愁了。

可皮普金有办法，他穿上魔法木屐，坐在纺锤旁，不一会，就纺出了十捆闪闪发亮的金线！

莉亚把金线织成了布匹。时间还早，她又为小老鼠做了一顶金帽子和一双小金鞋。

"谢谢！"皮普金向莉亚致谢，又收拾好他的针线包离开了。

第四天，绿妖们取走金布，挂在洞穴的房顶和墙壁上作装饰。

当绿妖国王上朝，坐上王座之后，他感觉到整个金光闪闪的石洞里发出的温暖光芒。绿妖国王的眼睛闪闪发亮，他兴奋得手舞足蹈，因为他的王宫从没有像现在这样温暖舒适！他再也不用忍受彻骨寒冷的折磨了。

莉亚走上前来，对国王恳求道："国王，我已经完成了你交代的所有任务，请让我回家吧！"但是莉亚对绿妖国如此有用，绿妖国王怎么会轻易放她走呢？

绿妖国王眼珠一转，想到了一个坏主意："不，你还不能走！除非……除非你猜出了我的名字，我才会放你走！"

猜出他的名字！这简直是不可能的！不过，莉亚和巴布还是绞尽脑汁，写下了他们能想到的所有名字。

"是不是鸡皮疙瘩？"莉亚问。"不！不是！"绿妖国王狡黠地笑起来。"那么你叫……"莉亚没有放弃，继续试着，"恼比倪？服各服特？各拉布格？"

"不对不对！全都不对！"绿妖国王大叫着，得意洋洋地跳来跳去。

那天晚上，皮普金又来到囚禁莉亚和巴布的小屋。得知莉亚的境况后，他沉吟着："我想我应该能帮上忙……巴布，我们一起溜到大殿去探探情况吧！"

鸡皮疙瘩

恼比倪

服各服特

各拉布格

……

大殿里，绿妖们正在举行温暖舞会。他们围着一堆篝火跳舞，没人注意到幕帘褶皱里藏着的小老鼠和小蜜蜂。

篝火噼噼啪啪的，烧得正旺，绿妖们跳得兴高采烈！

绿妖国王也忍不住跳下了王座，加入了狂欢的队伍。

在火光的照耀下，他的眼睛闪闪发光，他的脚步左右跳动，

他还即兴唱了一首绿妖歌：

"把她留下还是放她走？

今天她织，明天她绣！

她赢不了这场猜谜赛，

因为我的名字是戈堡古克！戈堡古克！"

皮普金跑回小屋，叫来了莉亚。莉亚冲进大殿，高声

叫道："我知道你的名字了，你叫戈堡古克！放我们走吧！"

"不！"绿妖国王气急败坏地拒绝道。

这时，吉布走上前来。"放他们走！"吉布大声说。虽

然他的声音因为害怕有点颤抖，但是他坚持说："否则你就

不配做我们的国王！"

"哼，好吧！"看到情形不妙，戈堡古克国王只好同意

了。他打开了那些枷锁，好心的花仙子和小蜜蜂终于重获

自由了！

从此以后，吉布经常来梦幻草原做客。他从莉亚和皮

普金那儿学会了裁剪缝纫，成了绿妖王国的唯一一位裁缝！